JN117185

親子三人の
アメリカ大陸
横断ドライブ

シアトルからボストンへ

山際 岩雄

東京図書出版

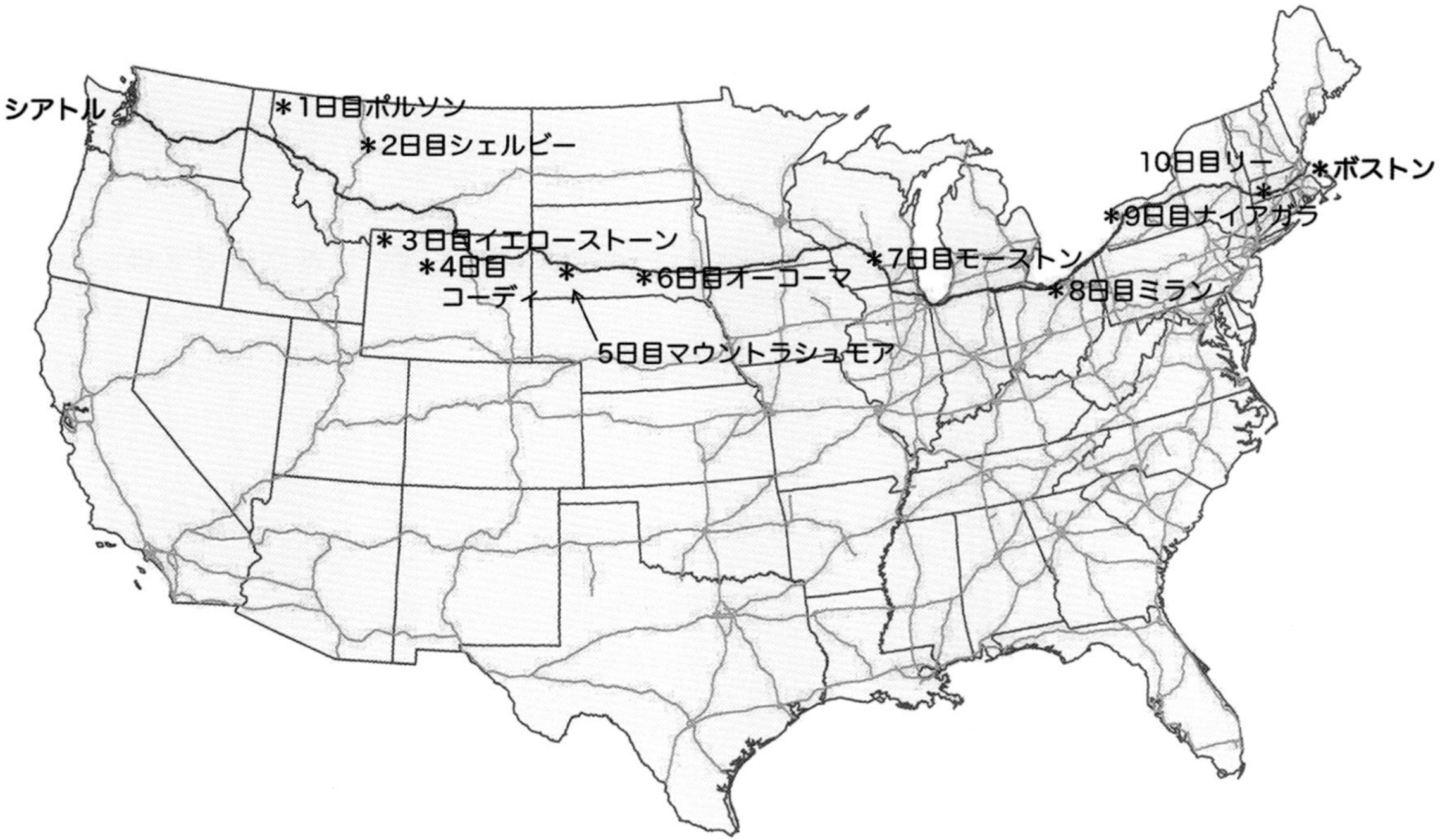

I-90の路線図と宿泊した町

親子三人のアメリカ大陸横断ドライブ

シアトルからボストンへ

◇目次

プロローグ

こんなことは生まれて初めてであった。だがどんなことにも生まれて初めてという時が必ずあり、その初めてに出会うために生きているのだとも思う。車を、ちょっとその辺まで行くのに便利な下駄のようなものにしか考えていなかった私にとって、車を運転してアメリカ大陸を横断するなどということは全く頭の中になかった。そんな私が何かのはずみとでも言うか、妻と9歳の一人息子を伴って、おんぼろ車で、ほとんど予定というものも立てず、しかし極めてスムーズに、11日間でアメリカ大陸を横断してしまった。40年と少し生きてきた私や妻にとってこんなことは生まれて初めてであったが、10年足らずしか生きていない一人息子にとっても生まれて初めてであったというところに少し嫉妬を感じるのは、その旅が心に残る素敵なものであったからだろう。

私は1975年3月に新潟大学医学部を卒業して、すぐに外科教室に入局し、1987年4月から山形大学医学部第2外科の小児外科チーフとして勤務していた。申し込んでいた在外研究員が受諾され、1991年10月から1992年7月までの10カ月の海外研修の機会をいただくこととなった。いまでもそうだが、当時、小児外科分野で世界のトップクラスにあったシアトル、ボストン、ロンドンの各小児病院の外科のチーフと連絡を取り、それぞれの病院での研修の機会が得られた。1991年10月から8カ月をシアトル小児病院で研修し、残り1カ月ずつをボストン小児病院、ロンドンにあるグレートオーモンド小児病院での研修にあてた。アメリカでの研修先として選んだシアトルはアメリカ西海岸の最も北に位置するワシントン州最大の都市であり、カナダとの国境に近い。ボストンは東海岸のやはり北部にある。シアトルからボストンへの移動は、当然飛行機で飛ぶものとして計画していた。すなわちアメリカ大陸を自分で車を運転して横断しようなどとは夢にも思っていなかったのは前にも述べた通りである。しかし留学先であるシアトル小児病院の小児外科部門に、翌年からのサージカルフェロー（外科研修医）のただひとつの椅子を求めて全米から集まってくる若い志願者達と話をしていると（総勢26名と聞いていた）、案外ドライブして来たという人達が多い。東海岸からだと３日くらいかけて来ているようだった。また大陸横断について米国人の友人達に聞いても、皆、簡単に“no problem”（問題ないさ）と答える。本当に“no problem”なの？　さすがモータリゼーションの先進国アメリカである。「だったら」、と徐々に〝その気〟になってくる。そこでアメリカの道路アトラスを買ってくる。シアトルとボストンの間は何と一本のインターステート90（I－90）というフリーウエーで結ばれているではないか。[#1] さらにI－90に沿ってイエローストーンなど五つの国立公園といくつかのナショナルモニュメントがある。これらの地を訪れる機会はそう作れるものではない。妻の由布と息子の壮一に相談すると「お父さんの好きにしたら」との返事。しかしシアトルからボストンまでドライブといっても、I－90をひたすら走って５０００km、あちこち寄れば６０００から７０００km。気の遠くなるような距離である。それにシアトルでの生活を始める際に２５００ドルで購入した、走行距離20万キロを越える１９８２年型シボレー・サイテーションは耐えてくれるだろうか？　ある友達いわく「この車で本当に行くつもり？」と親身になって心配してくれるのか、呆れて他に言葉がなかったのか。しかしこの車を斡旋してくれたボーイング社のメカに勤めている人の「無理さえしなければ大丈夫でしょう」の言葉を信ずることにした。砂漠のまん中で車が故障したって、2億人も住んでいるアメリカだ、誰か拾ってくれるだろう。途中で車がつぶれたらつぶれたで何とかなるだろう。そのためにＡＡＡ[#2]にも入っているのだし。かくして親子三人のアメリカ大陸横断ドライブは1992年5月24日(日)にスタートした。

蛇足かもしれないが、本紀行文を読む際には、Googleマップを参照されながら読み進めるとその位置関係がよくわかると思う。さらに全ての地域がストリートビューで見ることができる。ちなみに今Googleマップを開いて、「シアトル（日本語で）、university heights apartments」で検索すると、たちどころに僕らが30年ほど前に暮らしたアパートが表示される。外壁の色は変わったが、玄関前に立つモミの木も、そこに貼り付けられた看板も、さらに玄関前にある大きなガベージボックスも、何も変わっていない。こうして今は便利な世の中になったが、その当時の通信事情といえば、携帯電話はほとんど普及しておらず、Ｅメールもインターネットも影も形もなかった。通信手段はもっぱら固定電話かよくてファックスという時代である。またカーナビなどあろうはずも無く、助手席の由布のロードマップ頼りのナビゲーションと道路標識だけでルートを決めた。もちろんデジタルカメラなどもまだ登場せず、本書に掲載した写真はすべて、小生がシアトルで購入したキヤノン一眼レフフィルムカメラで撮影したリバーサルフィルムをスライドにしたものをデジタル化したものである。

#1：アメリカの道路はインターステート（Interstate Highways）、ＵＳ（U. S. Highways）、ステート（State and Provincial Highways）、その他に分けられる。インターステートは文字通り州と州を横断、縦断している道路で、日本の高速自動車道に相当するものだが、すべてフリーウエーで全米

を網の目のように走っている。巻頭に掲載した地図の青線がそれである。西海岸にはないが、東側でターンパイクと呼ばれる有料道路となっているところもある。南北に走るものには奇数、東西に走るものには偶数の番号がつけられている。I－90（アイナインティー）などと呼ばれる。USハイウェイは日本で言うと国道に相当する。US200などと呼ばれる。ステートハイウェイは州道に該当する。ルート135などと呼ばれる。

＃2：トリプルAと呼ぶ。アメリカン・オートモービル・アソシエーションの略で日本のJAFに相当するサービス機関であるが、JAFとは比べものにならないくらいきめ細かいサービスが提供される。

シアトルでの生活

大陸横断の出発前に少しだけシアトルでの生活を紹介したい。1991年10月1日の夕方の便で成田を発ち、同じ1日の午後1時にシアトル空港に到着した。山形の友人の友人でこちらに住んでいるチエコさんに迎えていただき、すぐにアパートを紹介してもらった。ユニバーシティーハイツという名前でUW（ワシントン大学）の近く、これから研修するシアトル小児病院も自転車で5分の距離。歩いて7～8分のところにショッピングモールがあり、緑に囲まれたアパートは理想的な環境であり、即座に決定。シャワールームにバスタブがなかったのでオーナーに頼むと二つ返事でOKと。しかしながら設備屋の判断では建物の強度の関係でバスタブは無理ということでこれは諦めざるを得なかった。これからずっと風呂無しかと思うと、風呂に浸かることを1日の終わりの楽しみとしている者にとっては寂しいが、いたしかたなし。

8カ月暮らしたアパートの前で

シアトルに着いた翌日には研修先のシアトル小児病院を訪問し、ボスのタッパー先生に面会したが気さくに話のできる人だった。Assistant Chief Surgical Fellow（日本語でどう言うのかわからない、さしずめ研修医のトップ？）のマグヌッソンを紹介され、彼の案内で病院をめぐり、早速その日に手術の見学をした。タッパー先生から「とにかく子供の学校を決めてから来なさい」ということで、その日のうちに領事館での移住の手続きを済ませ、9歳の一人息子の学校も決まった。こちらの人は皆フレンドリーであたたかい。領事館のきわめて事務的な応対の日本人事務官を除いて。

シアトルはピュージェット湾とワシントン湖に囲まれ、その美しさから「エメラルドシティー」と呼ばれる風光明媚な町で、暖流のおかげで冬でも氷点下になることは滅多にない。ことに僕らが生活を始めた10月は連日快晴が続いたので、休日はいつもアウトドアアクティビティーを楽しんだ。

レーニア山の麓をハイキング。頂上付近は氷河で覆われている

最初の土曜日はいつも遠くに見えていたレーニア山国立公園を訪れた。生まれて初めて目にした氷河をかぶった山は登高意欲をかき立てたが、今回は我慢しよう。翌日曜日はピュージェット湾のクルーズ船に乗りシアトルの街を海から眺めた。高層ビルが立ち並ぶ大都会であることがわかったが、一方で水の街、水産業の町であることも知れた。シアトルといえば、航空機のボーイングや、マイクロソフト、アマゾンなどのIT企業などが有名だが、コストコやスターバックスでも知られている。船を降りてモノレールでシアトルセンターへ行った。まずスペースニードルに上りシアトルの街を上から見下ろした。街全体が眺められる。遠くに昨日訪れたレーニア山が望まれた。目を北東に移せば、UWのキャンパスが見える。大学病院の隣には巨大なハスキースタジアムが見える。

シアトルには土曜日だけ開校される日本人学校があったが、土日は休日とすることで、壮一は

シアトル港からピュージェット湾を巡る観光船からのシアトルダウンタウン

こちらの学校だけにした。ＥＳＬ（English for Second Language）のクラスで、英語を全く話せない子供達だけのクラスが開設されている。２度ほどクラス見学に行ったが、英語しか話せない先生が、英語を全く理解できなかった子供達に授業をしている。でも何か楽しそうに授業が行われていたのは不思議な光景だった。日本では息子の学校の行事に参加したことはなかったが、こちらでは何かと参加の機会が多かった。まずハロウィーン、そしてクリスマス、その他機会があるごとに参加の依頼が来た。

こちらはスポーツといえばやはりアメリカンフットボール。ＵＷにはハスキーズの愛称で知られる強豪チームがある。何度か試合を見に行った。シアトルの冬は雨の日が多い。それでも少しの晴れ間には多くの人が街の至る所にある公園を走っている。当時は日本ではまだジョギングを楽しむ人は少なかった時代でもあり、こちらの人の運動好きにも感心させられた。シアトルから1時間ほどのドライブでいくつかスキー場

ピアでランチ

夜のスペースニードル

があり、スノースポーツも楽しんだ。当時人気のロシニョールの4Sをこちらで購入して楽しんだ。隣のオレゴンには一度は行ってみたいと思っていたマウントバチェラースキー場があり、そこにも足を延ばした。

シアトルの春の訪れは早い。3月半ばにはUWの校内の桜が満開となり、桜の木陰の芝生で日光浴をする人の姿が目立った。

そんなふうにして、病院ではもちろん、普段の生活でもとても刺激的な8カ月であった。そんなシアトルの街に未練を残しながらアメリカ大陸横断の旅にでることとなった。ちなみにI－90はワシントン州、アイダホ州、モンタナ州、ワイオミング州、サウスダコタ州、ミネソタ州、ウィスコンシン州、イリノイ州、インディアナ州、オハイオ州、ペンシルベニア州、ニューヨーク州、マサチューセッツ州と13の州を横断している。

スペースニードルからのダウンタウン。今はないが当時のシアトル・マリナーズの本拠地だったキングドームも見える。遠くに氷河を被ったレーニア山

スペースニードルから北東を望む。手前にユニオン湖。写真の上下の中央に左から右まで続く建物群がワシントン大学。最も高くそびえるのは大学病院、右端にハスキースタジアムが見える。ハスキースタジアムの上に見える建物がシアトル小児病院。遠くの山はキャスケード山脈。エメラルドシティーにふさわしい緑の多い街である

スペースニードルからの夜景。当時のアメリカの大都会は危険と言われたが、夜のシアトルは安全な街であった

スクールバスで同じ学校に通う子供達。みな同じESLのクラスの子

学校行事で壮一が中心になって折り紙教室を開いた

ボーイング社の展示場

ハロウィーンでトリックオアトリート

町中がクリスマスの飾り

ハスキースタジアムでの試合観戦

クリスタルマウンテン。壮一がウエアーを忘れたので由布のウエアーを壮一が羽織り、由布は私のウエアー。私はアウターなしというのでこういう形になってしまった

マウントバチェラー全景

オレゴン州のマウントバチェラースキーリゾート。山全体が滑走可能で、森林限界を遥かに超えた2763ｍのサミットからベースまで101のコースがある

マウントバチェラースキー場のダウンヒルコース

ワシントン大学レーニアビスタ。この後ろにレーニア山が望める

ワシントン大学レーニアビスタから真正面に見えるレーニア山

ワシントン大学構内

ワシントン大学構内、３月13日の写真。桜が満開となっている

5月24日㈰第1日　ワシントン州からアイダホ州を通りモンタナ州へ

家財道具一式、といってもこちらで購入したソファーベッドなどの家財道具はすでにクロネコヤマトから船便で日本に送り出したので、衣類と、電気釜、電気ヒーター（洗濯物を乾かすのに用いた）、キャンプ用の食器、クーラーボックスなど当座に必要なものだけを満載した我らが排気量２５００㏄のサイテーションはハッチバック式であるが、トランク、後部座席は言うに及ばず、助手席にも物が溢れている。これから６０００㎞を超えるドライブの出発にふさわしく快晴であった。アパートの前でシアトル最後の記念撮影。朝7時40分に8カ月間住み慣れたアパートを発った。この4月に息子の通っていた小学校に転入して同級生となったお子さんの御一家に、前日壮行会をしていただいたのだが、その酒が少し残っている。8カ月と短い期間ではあったがこの美しい町は、そこに住む温かい人々

出発前。８カ月暮らしたUniversity Heightsの前で。このシボレー・サイテーションでアメリカ大陸横断ドライブをした

と共に我々の心に深く印象づけられている。ワシントン湖にかかる浮橋・エバーグリーンポイントブリッジを渡り、I－90に乗ると、あとは一路ボストンを目指すことになる。

シアトルから東に80㎞程走ったところにキャスケード山脈を越える、標高約1000ｍのスノーコールミー峠がある。ここには四つのスキー場があり、シアトルから1時間で来られる所にあるので、冬の間何度かスキーを楽しみに来た。ここは難なく越えることができた。エアコンも快適に効いている。ワシントン州はエバーグリーンステートと呼ばれているくらいで、雨が多く樹木の多いところであるが、それはキャスケード山脈の西側であり、それを越えた東側は同じワシントン州でもプレーリーと呼ばれる樹木の無い大草原となっている。カナディアンロッキーに源を発する雄大な流れのコロンビア川を見渡せるレストエリアで少し休み、午後1時頃シアトルから約450㎞にあるワシントン州第2の町スポケーンを通り過ぎた。昼

キャスケード山脈に向かう

食は妻が握ったおにぎりを運転しながらぱくつく。昼食をレストランでとるとなると少なくとも1時間はみなければいけない。距離を稼ぐのにこの1時間はもったいないということで、大陸横断の間、ずっとこのおにぎりの昼食をとることとした。そこでシアトルで買った日立製の旧式の電気炊飯器が非常に重宝した。米はもちろんカリフォルニア米。コシヒカリには及ばないが、おにぎりにしても結構いける。値段は極安。米の自由化がもたらされた時、日本の米作農家はどう対処していくべきかなどと考えながら車を進める。スポケーンを越えるとまもなくアイダホ州に入る。アイダホ州は、南はネバダ州、ユタ州と接し、北はカナダと接する南北に長い州であり、東へ１２０km ほど走るとすぐにモンタナ州に入る。モンタナ州に入るとパシフィックタイムゾーンからマウンテンタイムゾーンに入るため時計の針を1時間進めなければいけない。これからボストンに行くまでにあと

キャスケード山脈を越えると緑のほとんどないプレーリーと呼ばれる台地へ。カナダから流れくるコロンビア川のほとりのレストエリアから

2回それぞれ1時間ずつ時計を進める必要がある。アメリカの大きさを感じてしまう。1時間損した感じ。今日はモンタナ州のミズーラという町で宿をとる予定（といっても別に宿の予約をしていたわけではなく、1日走るとだいたいこの辺だろうという目安）であったが、明日グレーシャー（氷河）国立公園に行くとすれば、もう少し先のポルソンという町の方がいいとナビゲーターの妻が言うので、セントレジスでI－90に一旦別れを告げ、ステート135に入った。ステート200からUS93へ出ると眼前にロッキー山脈が横たわっている。6時過ぎ今日の宿としたポルソンの町に入った。AAAで貰ったツアーブック[#3]に載っているモーテルは一泊60ドルのスイートしかないというので、そこのモーテルの受付嬢に教えてもらったスリーピータイガーインという道路沿いのモーテルを今日の宿とした。ここは48ドル。フラットヘッド湖に面した眺めのよいモーテルであった。

コロンビア川はカナダのブリティッシュコロンビアに源を発する全長2000kmの川でワシントン州を通り、オレゴン州で太平洋に注ぐ

フラットヘッド湖はフラットヘッド国立森林公園の中心的存在で、この湖の見学だけでも数日を要するが先を急ごう。夕食は近くのスーパーマーケットで牛肉を買ってきてステーキにした。バドワイザーとカリフォルニアワインが気持ち良く喉を通る。夕食後、湖のほとりを散歩した。10時頃ようやく日没となる。８００㎞を走ってきたアメリカ大陸横断ドライブの第１日はこともなく暮れていった。明日はロッキー山脈の山越えである。

＃３：ＡＡＡで発行している旅行案内書で、各州毎に分冊となっており見所、宿泊施設、レストランの案内が非常に詳しく書かれている。宿泊施設に関してはＡＡＡが毎年立ち入り調査をしており、各施設の料金、到達ルート、設備などが事細かに記載されている。これに載っている所にはＡＡＡ認可のサインが出ておりまず安心して泊まれる。

スポケーン手前のI-90。まっすぐな道が地平線まで続く

ＡＡＡの会員はこのツアーブックや地図などを全米に点在するオフィスですべて無料で貰える。

モンタナ州に入ると雪をかぶったロッキー山脈が見えてくる

ただただだだだっ広い牧場の向こうにロッキー山脈が連なる

I-90は牧場の中を走る。道路脇で記念撮影

ポルソン、フラットヘッド湖を望むモーテルからの夕日。午後10時頃ようやく陽が沈む

5月25日(月)第2日　雪をかぶったロッキー山脈越え、グレーシャー国立公園を通ってポルソンからシェルビーへ

朝6時に目覚まし時計に起こされる。外はすでに明るい。朝食は私と息子がカップヌードル、妻がパンというスタイル。これがいつもの朝食のパターンであった。レストランで食べれば時間と費用がかかる。朝食を作る時間的余裕はないということでこういうことになった。シアトルで〝マルちゃん〟のカップヌードルを大量に買い込んでおいた。こちらで作られた物であり、日本の物と少し味が違うようであるが1ドルで2個買えるのはうれしい。昼食のおにぎりは前日の夜、妻がすでに握っておいた。行動中の眠気覚ましのための濃いコーヒーを朝準備する。モーテルには大抵無料のコーヒーのサービスがあるのだが、それらは薄すぎて眠気を払う効き目がない。7時半頃出発。標高約900mにあるフラットヘッド湖はフィッシング、ハンティングやいろいろなウオータースポーツが盛んで、周囲にはたくさんのキャンプサイトがある。その西岸に沿って走るUS93を80㎞程北上するとカリスペルの町にでる。ここに19世紀に建てられたマンションがあるというので見に行った。確かに緑の芝生に囲まれ、蔦の絡みつく大邸宅ではあるが特にどうと言うことはない。アメリカは歴史が浅いせいか、少し古いという物にある種の憧れがあるようだ。US2に入りウエストグレーシャーからUS2に別れを告げ、いよいよロッキー山脈にあるグレーシャー国立公園に入る。これはカナダのウオータートンレイクス国立公園に連続しており、2カ国に

またがる国立公園となっている。マクドナルド湖の南端のアプガーに来ると、雪をいただいた、氷河によって形成された峻険な山々が眼前に迫って来る。アメリカ大陸の分水嶺を形作るこの山脈のどまんなかを東西に乗り越えるこの道路はGoing-to-the-Sun Roadという素敵な名前がつけられている。この道路は冬期間はもちろん通行不能で、この道路の最高点である標高2025mのローガン峠はこの23日に開通したばかりであった。山登りの前に清冽な流れの谷川に下りおにぎりの昼食をとる。道路は非常に整備されており大型のモービルホームもたくさん登っている。また絶壁を縫うようにして開かれた道路の至る所に駐車できるスペースが作られ、いろいろな眺めが満喫できるようになっている。この日は雲ひとつない絶好の日和でフィルム3本をあっという間に使ってしまった。ロッキー山脈は、北はカナダのブリティッシュコロンビア州から南はニューメキシコ州まで続く大山脈である。氷河で削られた

フラットヘッド湖の朝

横縞の地層に雪が縞模様を描く山の様子は日本アルプスでは見られないものだ。3000mを超えるピークも何座かある。途中我々の前を真っ白な毛を持つマウンテンゴートが車に恐れる様子もなくゆっくりと道路を歩いていた。我が愛車も難なく上がってくれた。この調子ならボストンまで大丈夫か？　雪に埋もれたローガン峠のビジターセンターはまだ開いていなかったが、しばらくの間、雪の感触を楽しんだ。〝太陽へ向かう道〟を下り、セントメリーの湖畔でしばらく東側からのロッキーの景観を楽しんだ。その先はUS89を走り、ブローイングでUS2に乗ることになる。この辺りはモンタナの大平原が続く。ゆったりとしたうねりを見せながら地平線の彼方まで続くUS2を走っていても、日本では後部座席でいつも「退屈だあー」を連発する息子も景観に見とれている。US2とI－90の交差するシェルビーという町に今日は泊まることにした。5時過ぎにシェルビー

カリスペルの街の大邸宅

のクロスロードインに飛び込む。このモーテルは室内温水プールが有り、息子は大喜び。ベッドもキングサイズのツイン。アメリカのモーテルはどこでも最低でもクイーンサイズのツインになっており、親子3人で旅するには1室で充分である。ここは一泊43ドル。この町は人口3000人足らずの西部の小さな町であるが、グレート・ノースウエスト・パシフィック鉄道が敷かれてできたカウボーイの町である。この町のスーパーマーケットに行くと、小型トラックの荷台いっぱいに買物をしている人達が多い。彼らは遠くから何日かに一度買い出しに来るのだろう。今日は5月の最終月曜日、メモリアルデー（戦没将兵追悼記念日）でアメリカの祭日のためか酒屋はしまっていたのでスーパーマーケットでビールとワインを仕入れた。こちらではビールとワインはスーパーマーケットで売られている。缶ビールがレギュラーサイズ1本4ドル（50〜60円）と安いのは嬉しい。

マクドナルド湖の南端からロッキー山脈を望む。山の名前が案内されている

今日の夕食は日本式のカレーライス。妻が夕食の準備をしている間、息子とひと泳ぎ。明日はイエローストーンまで行くこととし、念のためマンモスホットスプリングスの宿に電話で予約をいれた。この旅でモーテルを前日に予約したのは明日泊まる宿とナイアガラの宿のみであった。あとはみんな飛び込みで宿泊した。10時頃日没。西部の大平原に沈む夕日を眺めながら旅情に浸りつつベッドにもぐり込む。今日の走行距離はゆっくりだったので４００㎞。

マクドナルド滝

マクドナルド湖に注ぐマクドナルド川の流れ

道路を悠然と歩くマウンテンゴート

マクドナルド滝付近のポットホール

マクドナルド川のほとりで

マクドナルド川のほとりで遊ぶ由布と壮一。なにをさがしているのか？

氷河に削られた横縞の地層

ヘブンズピーク、標高2740 m

来た道を振り返る。マクドナルド川に沿った道路が見える

ビューポイントからのヘブンズピーク。道路の至る所にビューポイントが設けられている

中央左にロングフェローピーク、標高2714m。右にレインボーピーク、標高3015m

グレーシャー国立公園の山並み

横縞に雪が残る

眼下にマクドナルド川に沿って走るハイウェイ「太陽へ向かう道」

ビューポイントで一休み

山肌に沿って作られたGoing to the Sun Road

ローガン峠、標高2025ｍからのクレメンツ山、標高2670ｍ

ローガン峠にて

ローガン峠からジャクソンピーク、標高3064ｍとジャクソン氷河

美しい山肌を見せる山

ローガン峠を越えてロッキー山脈の東側にあるセントメリー湖。カナディアンロッキーの人気観光地マリーン湖にそっくり

セントメリー湖から流れるセントメリー川

セントメリー川にかかる橋で

ブローイング付近で。この辺まで来ると大平原の向こうにロッキー山脈が遠くなる

大平原をグレート・ノースウエスト・パシフィック鉄道が走る

ロッキー山脈がだんだん遠ざかる。水平線が弧を描く様子は日本では見られない

今日の宿、シェルビーのクロスロードイン。ハッチバックタイプのシボレー・サイテーションの後部

5月26日㈫ 第3日　モンタナ州からワイオミング州へ、イエローストーン国立公園

シェルビーからI－15に乗って南に向かう。140㎞程行ったグレートフォールズまでは町らしい町はない。平原の中にポツンポツンと家が見えるだけ。4車線の道路をすれ違う車もほとんどない。ひたすら平原を走る。それもそのはず、モンタナ州の面積は38万㎢で日本と丁度同じくらいであるが人口はたった約80万人とのこと。ついでに言うと、アメリカ合衆国議会の上院議員数は各州に二人ずつ与えられている。人口4000万人のカリフォルニア州も、人口80万人のモンタナ州も全て二人ずつである。日本の参議院選挙では議員定数に「一票の格差」が憲法違反だとしょっちゅう訴訟が起こされているが、この国にその議論は無い。南に向かうハイウェイの走る大平原の彼方に雪をいただく山並みが見える。モンタナ州からワイオミング州の西側に聳えるロッキー山脈の一部である。『シェーン』という映画の最後のシーンが思い出された。グレートフォールズからは平原が終わり、ミズーリ川に沿った山間の道を走る。モンタナ州の州都であるヘレナでI－15に別れ、US287に乗った。途中ミズーリ川上流のキャニオンフェリー湖という堰止め湖のほとりにあるピクニックエリアで昼食をとった。ミズーリ川はロッキー山脈やイエローストーンの山地に源を発し、ミズーリ州のセントルイスでミシシッピ川に合流する。今日は今にも雨が降りそうな肌寒い日である。昼食もそこそこにして南に向かい、スリーフォークスで再びI－90に乗る。こ

れを東に90㎞程走ったリビングストンで南に向かうＵＳ89に入り今日の宿泊地であるイエローストーン国立公園内のマンモスホットスプリングスに向かう。モンタナ州最後の町ガーディナーに向かう途中で、ＵＳ89からデビルズスライドという珍しい岩の崖が見える。ガーディナーでは今晩の食料と酒を買い込む。ガーディナーの町をでるとすぐにイエローストーン国立公園の石造りの巨大なゲート・ルーズベルトアーチをくぐる。イエローストーン国立公園は１８７２年に世界最初の国立公園として指定されたところで、標高１６００〜３４００ｍ、面積９０００㎢の中に、数え切れないほどの間欠泉や温泉がある。深く切れ込んだ渓谷に多数の滝がありその自然美はすばらしく、年間３００万人を超える人々が全世界から訪れ、ワイルドライフを楽しんでいる。またここは野生動物の楽園でもありグリズリーベア、ブラック

シェルビーからI-15に乗る。片側２車線の道路はまっすぐに走る。すれ違う車もほとんどなかった。地平線の彼方にモンタナ州南部の山並みが見えてくる

ベア、バイソン、エルク、ムース、コヨーテをはじめ多種類の動物が棲息している。バイソンは一時期減ったが手厚い保護のおかげで増え、至る所でその群れを見ることができた。我々はイエローストーンに5カ所ある入り口のうちの北側から入った。入るとすぐにワイオミング州となる。イエローストーンはモンタナ、アイダホ、ワイオミングの3州にまたがるがその大半はワイオミング州にある。マンモスホットスプリングスに4時頃着いたが、予約しておいたキャビンの準備がまだできていないということでまず観光に出かけた。ここの見物はミネルバテラスという、石灰を含んだ温泉の噴出によってできたおびただしい数の段々状になったテラスである。温泉と共に排出される石灰の量が1日2トンということで、その温泉の量もわかるだろう。温泉に入るという習慣が無いのか、温泉の湯はすべて流れ去ってしまう。日本人の我々からすると何とももったいない話である。イエローストーン国立公園内はここに

ミズーリ川上流のレストエリアで

限らず至る所に温泉が吹き出し、その数と量たるや日本の温泉ではちょっと見られないものだ。ぐずつき気味の天気だったが、ついに雷鳴と共に突然のシャワーに襲われホテルに引き返す。部屋は古くからのリゾート地ということで木造のキャビンで、珍しく部屋に電話やシャワーがついていない。ちなみに電話やシャワーが部屋についていなかったのは、アメリカで泊まった二十数軒のモーテルでは一度もなかった。だが電気のコンセントだけはあったので食事の支度はできた。今日の夕食はスパゲッティ。今日はシェルビーからここまで580km走ってきた。

デビルズスライド。イエローストーン川の向こうに見える

ガーディナーの街の食料品店の前で

イエローストーン国立公園、北側入り口に建つルーズベルトアーチ。1903年に作られた堅牢な造りである

イエローストーン国立公園入り口の看板の前に立つ壮一

マンモスホットスプリングス　ホテル＆キャビンズの全景。僕らはキャビンに泊まった

ミネルバテラスで。温泉水に含まれる石灰分が重なって、棚田のような段丘が形作られた

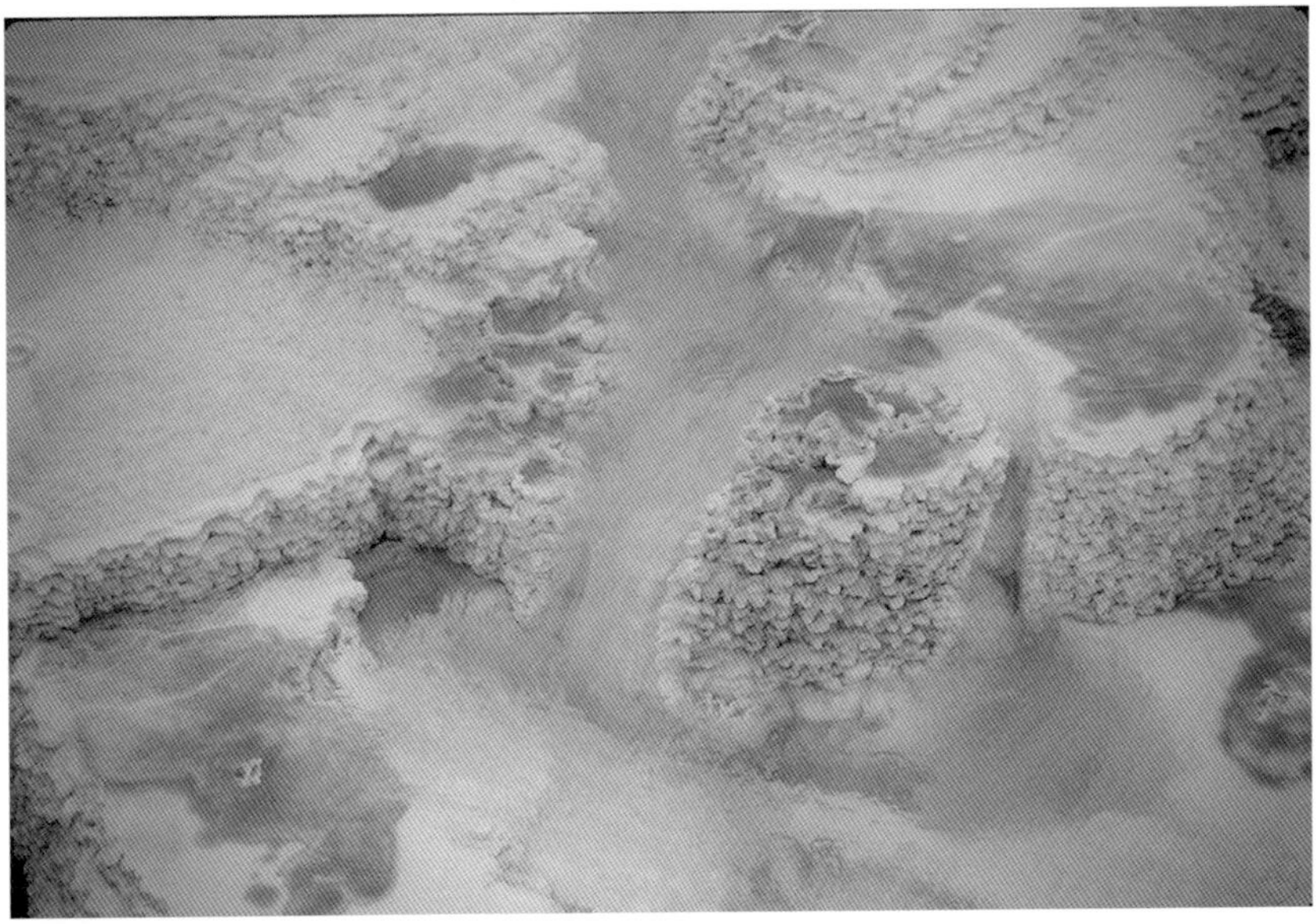

ミネルバテラス

ミネルバテラスから流れ落ちるような形の石灰

マンモスホットスプリングスにあるオールブライトビジターセンター

5月27日㈬第4日　イエローストーン国立公園を一周し、ワイオミング州コーディまで

一晩中降り続いた雨も朝方にはなんとかあがってくれた。今日はこの広いイエローストーンを一回りして東側の入り口から出て行く予定とした。イエローストーンにはアッパーループとロワーループと呼ばれる二つの周回道路が8の字状に走っている。マンモスホットスプリングスはアッパーループの西北端に位置するので、まず東に向けて出発した。ブラックテイルディアプラトーを通り、タワールーズベルトへ向かう途中、草原でプロングホーンという鹿の一種を見た。この公園は1988年に大森林火災に見舞われ、3000㎢の森林が灰となったが、焼け焦げた林が至る所で見られる。しかしすでにその下には地中深く残っていた樹木の種子が芽をふき始めており、森林の移り変わりを感じさせる。タワールーズベルトから東に約3㎞のところに高さ約40ｍのタワー滝が落ちている。今走っている道路はチッテンデン道路と呼ばれていた。後で調べてわかったことだが、シアトルにも一度通ったことのあるチッテンデン水門がある。二つの水門の間で水位の違うユニオン湖とピュージェット湾の船の走行に利用されていたが、これが同じ人の名前とのことであった。キャニオンビレッジに向かう峠は標高2700ｍを超えるためうっすらと雪化粧をしていた。昨晩一晩中マンモスホットスプリングスで降っていた雨はこの辺では雪だったようだ。キャニオンビレッジのインスピレーションポイントから見るグランドキャニオンは、コロラド川のグ

ランドキャニオンとはまた違って、イエローストーンの名前の由来となった落差300m以上の黄色の断崖がイエローストーン川に落ち込んでいる様は壮絶な景観である。またこの付近で車からほんの数メートルの所にいるバイソンの群れに出会った。目の前でいきなり始まった交尾には驚いた。落差94mのロワーフォールは凄まじい水量で圧巻である。次いでノリスに行き丁度エカイナスという間欠泉の吹き上げるところを見ることができた。またここにはスティームボートという世界最大の間欠泉があるが、その吹き上げる時は全く一定せず、数日から数年ということであった。さらに車をオールドフェイスフルに進めたが、その間至る所に温泉が湧き出ており、温泉の流れる川もある。車を止めてそのお湯に手を入れようとしても、例外なく熱湯でとても入れられるものではない。しばらく走るとオールドフェイスフルに到着。ここには有名なオールドフェイスフルガイザーという間欠泉が有り、ちょうどその噴き上

マンモスホットスプリングスのテラスをめぐる遊歩道が整備されている

げも見ることができた。温泉のみならずその自然を楽しむには何日かかっても無理だろう。しかし先を急ぐ旅、そんなにゆっくりしてはいられない。オールドフェイスフルからクレイグ峠・標高２５１８ｍを越えてイエローストーン湖に向かう。この峠はアメリカ大陸の分水嶺を成すのだろう。この峠の西側の水は太平洋へ流れ、東側はミズーリ川となってメキシコ湾へ注ぐ。標高２３５７ｍ、周囲１８０㎞のイエローストーン湖を右側に眺めながらＵＳ20をひた走ってイエローストーン湖からイエローストーン川となって流れ出るところにかかるフィッシング橋を越え、ＵＳ16となって東入り口を通る頃は午後４時を回っていた。途中再びアメリカ大陸の分水嶺シルバン峠を越える。名前を忘れたがハイウェイ沿いには至る所に見所がある。１００㎞ほど走って今日の宿としたコーディの町に着いた。この町で標高はまだ１５００ｍを超えている。ツアーブックで見つけたビッグベアインは一応コインランドリーがある

ユインタジリス。モンタナ、ワイオミングなどに暮らすリスの仲間

と書いてあったが、宿のおばさんに聞くとそんなものはないという。まだ水ははってないが一応プール付きで一晩29ドルと安いのが取柄だ。だいぶ洗濯物が溜まったが、下着だけは毎日手洗いしていたので困らないだろう。ここは西部のまっただ中、6月中旬から9月初めまで毎晩ロデオ大会が開かれるという、今はまだ5月で見ることができないのは残念である。人口8000人ほどの西部の大都会である。夕食はビーフシチューとシアトルから持ってきた素麺。それにバドワイザーとカリフォルニアワインは欠かせない。今日の走行距離はイエローストーンのあちこちに寄ったので370㎞と少なめだった。

プロングホーン。アメリカ、カナダの西部に暮らす鹿の仲間

ブラックテイルディーアプラトーにて

1988年の森林火災の跡

イエローストーン川

イエローストーン川によって削られてできた壁の柱状節理

タワー滝

深く峡谷を形成するイエローストーン川

チッテンデン道路からの眺め

ダンラバン峠付近の積雪

イエローストーンのグランドキャニオン

グランドキャニオンを眼下に臨むインスピレーションポイントにて

グランドキャニオン。黄色の絶壁

黄色の絶壁にピンクや赤の色合いが混じる。岩の中の鉄分が酸化してこの色になったとのこと。イエローストーンの名前はこの黄色の絶壁からつけられたとか

凄まじい水量のロワーフォール

突然眼の前で交尾を始めたバイソン

バイソンは至る所で見られた

1988年の山火事で焼けた針葉樹。新しい若木が育ってきている

岩に食い込んだ針葉樹の幹

イエローストーンの黄色い絶壁

ノリスのガイザーベイスンの概観。あちこちに立ち上がるガイザーやスチーム、プールが散在し、立ち枯れた針葉樹も見られる

ノリスにあるエカイナスガイザー

水蒸気を吹き上げるスチーム

道路脇の至る所にお湯が吹き出すガイザーやスチームが見られる。そこには木道などが作られている

温泉の流れるクリーク

どこからでもお湯が湧いてくる

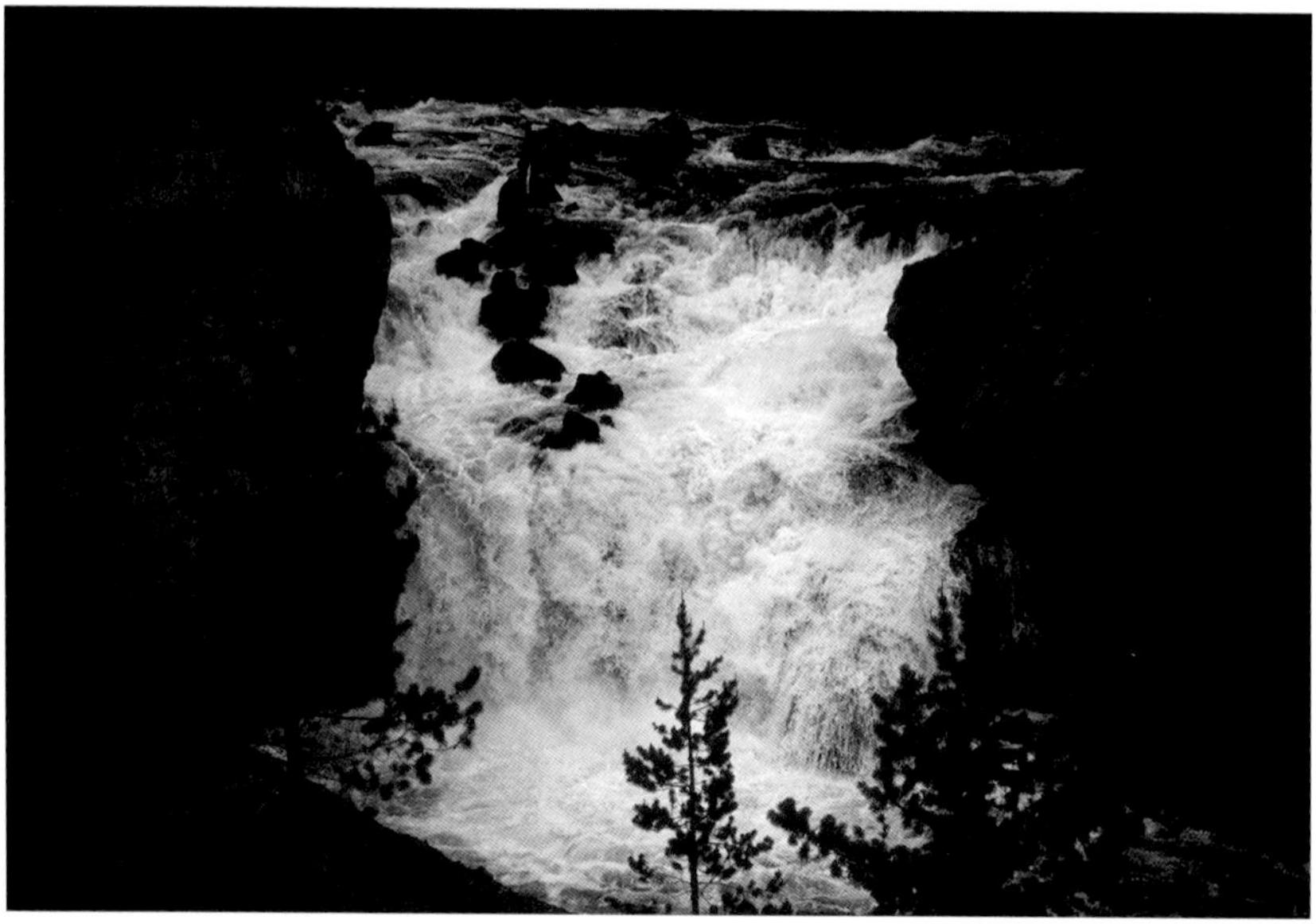

ファイヤーフォール川

道路脇の川はいい風呂になりそうだが、物凄く熱くて手も入れられない

5月27日㈬第4日

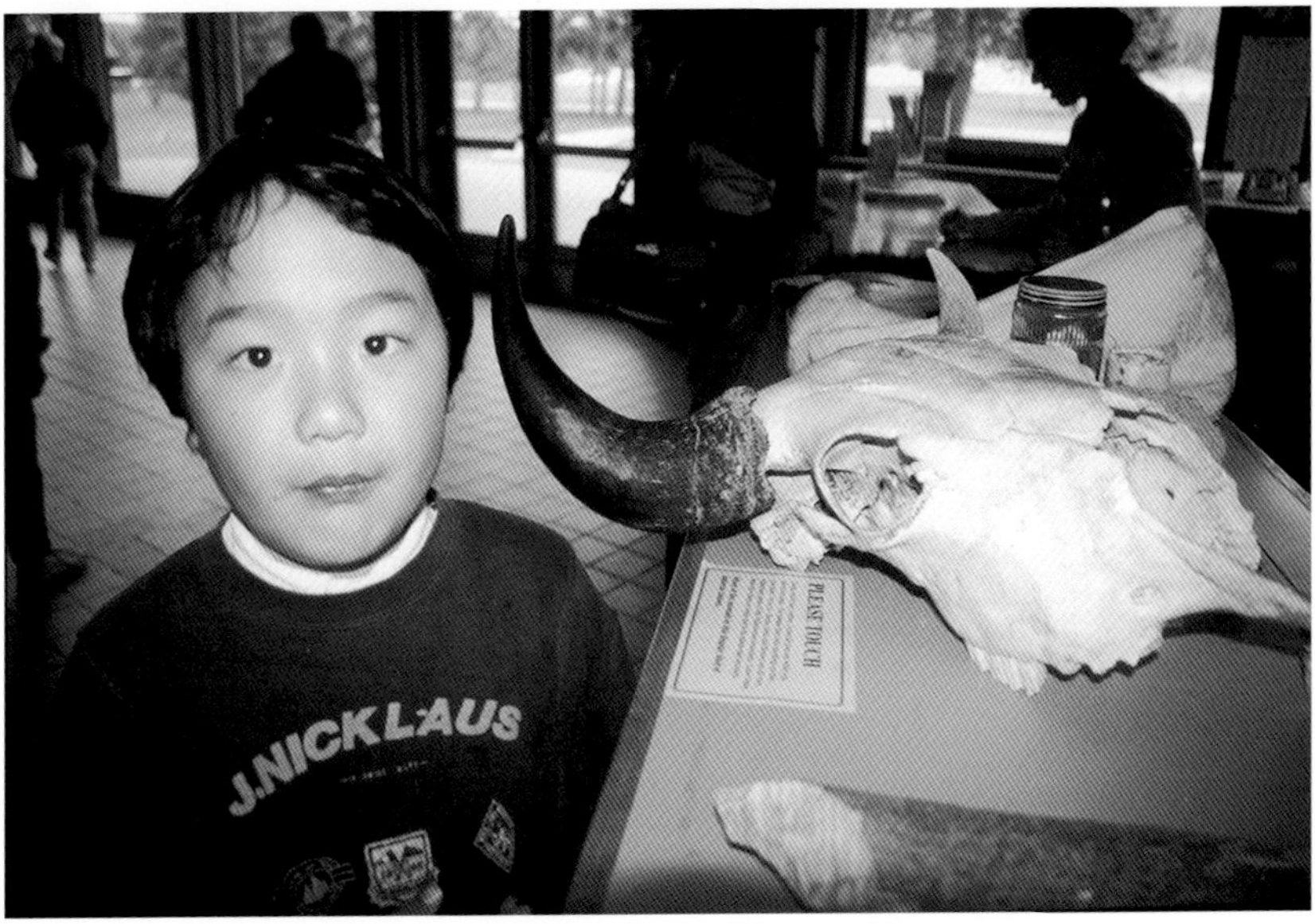

オールドフェイスフル　ビジターセンターにて

オールドフェイスフルに咲く花

オールドフェイスフルガイザーの噴出

オールドフェイスフルにあるハートガイザー

クレイグ峠、アメリカ大陸の分水嶺を成す

イエローストーン湖。標高2357 m、周囲180 km

US16の道路沿いにある崖

コーディのビッグベアイン入り口にある熊の剥製

5月28日㈭第5日　コーディからデビルスタワーを越えてマウントラシュモアへ

5時頃地平線の彼方から日が昇って来る。今日はワイオミング州からサウスダコタ州に入る予定。コーディからUS14で東に向かう。大平原をひた走るのであるが、時々集落というか村というか、一つの行政単位と思われる住居らしき建物が少し集まっている場所がある。その入り口には必ず、道路標識で町の名前と標高と人口が表示されている。人口10人という町があるのには驚いた。人口500人というと学校、教会はもちろんスーパーマーケットやホテルまであり大都会という感じ。何しろこの州も日本の本州くらいの面積に50万人くらいの人口である。US14をしばらく走るとビッグホーン国立森林公園に差し掛かる。標高2728mのグラナイト峠も我がシェビー（こちらの人はシボレーをこう略す）は難なく越えてくれた。この峠を越える道路US14から見える横縞の地層を持つ切り立った山々の景観は素晴らしく、日本では見られないものだろう。道路ですれ違う車もほとんどない。シェリダンという町の近くで2日ぶりにまたI－90に戻った。220kmほど走ったムーアクロフトでまたI－90から別れ再び北北東に進路を取るUS14に入る。これを30km程走るとプレーリーの中に屹立するデビルスタワーが見えて来る。これは頂上の標高1558mで、麓からの高さは386m、マグマが冷えてできた石灰岩の塊が、周囲の土壌が洗い流されたためにできたものとのこと。1906年にアメリカ初のナショナルモニュメントに指定されている。公園へのゲートを過ぎるとタワーの下に広がるプレーリーに、たくさんのプレーリードッグの姿を見ることができた。彼らは鷲、鷹、蛇、コヨーテなどの外敵から身を守るために地下に張り巡らされたトンネルからなるプレーリードッグタウンに棲息し、所々開いた穴から時々地上に顔を出す。後ろ足で立ってキョロキョロと辺りを見回す姿は何ともかわいい。いつまで見ていても飽きないが先を急ごう。麓のビジターセンターでこのタワーの出来方を学ぶ。せっかく来たのだからとタワーの周囲を巡る遊歩道を歩くこととした。途中ロッククライミングをしている人達がたくさんいたが、ある観光客が東洋人である我々を見つけて「あそこで登っているのは東洋人だから見てみろ」と自分の双眼鏡を差し出す。「あれは日本人かも知れない」と言うと、「きっとそうだ」と言う。アメリカ人は概して人懐っこい。かなりの年輩の人達もほとんどは夫婦連れで、1時間ほどのこの道を歩いている。アメリカのエルダー達

コーディ、ビッグベアインの夜明け

は元気だ。またI－90に戻り、少し走るとサウスダコタ州に入る。今日はシアトルを出てから5日目ということで少し疲れが出てきた。I－90を走っているうちはまだ良かったが、それを降りてラピッドシティーから、今日の宿にした、山肌に彫られた巨大な4人の大統領の顔で有名なマウントラシュモアまで行くUS16の30㎞の道のりが非常に長く感じられた。我々が泊まったラシュモアビューホテルからは確かにその彫像が見える。今日の夕食は妻と息子は近くのピザ屋で買ってきたピザにしたが、私はどうもこの手の物はおいしく感じられない。即席ラーメンの方がずっとましだ。今日は730㎞走ってきたが明日はゆっくりしよう。サウスダコタ州のほぼ中央を南北に走るミズーリ川を越えると西部ともお別れである。シアトルの住人達も言っていた。東海岸は自分達とは違う人間達だからと。明日はもう1日西部に留まることにしよう。

コーディの街の中心街。片側3車線の大通り

コーディの街を抜けると大平原。後ろを振り返ると雪をかぶったティートンの山並み

グラナイト峠への道

この日も快晴だった

綺麗な褶曲を見せる岩壁

グラナイト峠、標高2728ｍ

グラナイト峠からの山々

グラナイト峠。我が愛車シボレー・サイテーションは難なく峠を超えてくれた

グラナイト峠に咲く花々

峠を越えればまた大平原とそこをうねって走るUS14

デビルスタワーが見えてきた

プレーリードッグ

デビルスタワーの前で記念撮影

デビルスタワーの柱状節理

デビルスタワーのアップ写真

デビルスタワーの下ははがれ落ちた岩でゴロゴロしているところもある

デビルスタワーを登る人達

落下した柱状節理の石と

別の角度から

サウスダコタ州に入って最初のレストエリアで

5月29日㈮第6日　マウントラシュモアからバッドランズ国立公園を通り、ミズーリ川まで

マウントラシュモア・ナショナルメモリアルの駐車場から彫像の見えるビジターセンターまでは、道の両側に各州旗と合衆国に加盟した順番が記されているサインが立ち並んでいる。この彫像はガツォン・ボーグラムが1927年から1941年までかかって製作したもので、当初ワシントン、ジェファーソン、リンカーンの3人の予定だったが、当時のセオドア・ルーズベルトの功績を讃え、そこに加えられたと言われる。花崗岩に彫られた顔はそれぞれ高さだけでも18mあり、その目もあたかも光っているように見える。ここは民主主義のメッカとして知られ、全国から観光客が集まって来る。ここを後にしてラピッドシティーに戻り、市内を少し散策した。この町には歴代大統領の等身大のブロンズ像が立ち並んでいる。I－90に戻り、東に進むと間もなくエルスワース空軍基地があり、この基地に隣接したサウスダコタ航空宇宙博物館へ行く。昨日サウスダコタ州へ入った最初のレストエリアの観光案内所で息子がここのパンフレットを見つけたらしい。自分が興味のあるものはちゃんと自分で見つけている。ここにはステルス戦闘機の他、第二次世界大戦中からその後にかけて活躍した飛行機が展示してある。懐かしいF86も置いてある。時々最新型の戦闘機が凄まじい爆音を響かせて離着陸している。ソ連邦の崩壊した今でもアメリカのどまん中の砂漠の中で、日夜戦闘訓練が行われているのだ。I－90を80㎞ほど東に走りウォールからス

テート240を南へ走るとバッドランズ国立公園だ。降り積もった火山灰が水の流れによって削られてできた〝劫火の後の地獄〟と言われるこの景観はまた画家や写真家を魅きつけ、さらに化石の宝庫でもあるという。ここの休憩所で例によっておにぎりの昼食を食べたがその暑いこと。一昨日は雪の上を歩いたのに今日は灼熱地獄である。色彩豊かな地層が美しい。岩山を登るとその上はまた平原が広がっていたり、またその上がまた崖だったりする複雑な地形である。崖登りに汗を流した後、そのままステート240を走って、またI－90に戻りひたすら東に向かう。途中マードーという町を通る辺りでマウンテンタイムゾーンからセントラルタイムゾーンに入るため、再び時計を1時間進める。サウスダコタ州の真ん中でタイムゾーンが変わるのだ。この辺の人はどうやって時間の調節をするのだろうか？　今日はミズーリ川の西岸、オーコーマという町のミズーリ川を望

マウントラシュモアビジターセンターにて。削られる前のマウントラシュモアの写真が見える

むオアシスインを宿とした。すなわち、アメリカ東部に入るのを1日遅らせたということだ。ここにはジャクージーがあったが、いつもなら入りたがる息子も今日は入らない。やはり疲れが出てきたのか。夕食は妻と息子は隣のスーパーマーケットで買ったホットドック。私は昨日に引き続き即席ラーメン。それにベーコンを肴にしてビールとワイン。今日の走行距離は425km。バッドランズで山登りもしたがそれほどの疲労感はない。適量のアルコールが疲れを癒やしてくれる。

左から初代ジョージ・ワシントン、第3代トーマス・ジェファーソン、第26代セオドア・ルーズベルト、第16代エイブラハム・リンカーン

大統領像と由布と壮一

エイブラハム・リンカーン

ジョージ・ワシントン

ラピッドシティーの中心街

大統領像と一緒に

サウスダコタ航空宇宙博物館、ステルス戦闘機と一緒に

F105　サンダーチーフ

F86　セイバー

バッドランズ国立公園。崖を登るとその上はまた平原が広がる

所々にピナクルも見える

バッドランズでポーズ

美しい地層

崖を登り切るとまたその上に崖が

由布と壮一

延々と続く

崖をあがるとその上に平原が広がり、その先にまた地層の見える崖がある

崖の上の平原とその上の崖

バッドランズに咲く花

美しい地層

バッドランズに立つ壮一

ミズーリ川を背に。明日からアメリカ東部に入る

5月30日㈯第7日　ミズーリ川、ミシシッピ川を越えてウィスコンシン州へ

ミズーリ川の長大な橋を渡るといよいよ西部ともお別れである。川を眺めるレストエリアで暫し感慨にふける。よくぞここまで来たものだ。走行距離にして3300㎞。しかしアメリカの地図を見ると、まだ半分までは行っていない。だがあと見る所と言えばナイアガラくらいのもので、あとはただひたすらI－90を東へ走るだけだ。ここから100㎞程行ったところにミッチェルという町がありそこにAAAのオフィスがある。そこでこれから先の州の地図とツアーブックを貰おうと思って寄ったが今日は土曜日ということで開いていなかった。シアトルを出る前にI－90沿いの全ての州のツアーブックを貰ったと思っていたが、ミネソタ、ウイスコンシン、イリノイ、インディアナ、オハイオ辺りのものが抜けていたのだ。ここへ来るまでは気付かなかった。この町には外壁をコーンで飾ったコーンパレスがあり、ここの駐車場でも全米各地のナンバープレートが見られた。外壁は全てとうもろこしで貼ってあり、毎年変えられるのだという。いろいろな色のとうもろこしがあるものだ。なぜかこの年は1969年のアポロ11号が描かれていた。スーフォールズを越えて程なくミネソタ州に入る。最初のレストエリアでこの州の地図を貰う。州境近くのレストエリアにはたいていインフォメーションセンターがあり、地図もパンフレットもお望み次第、更に係員が常駐しており、どんな質問にも答えてくれる。ミネソタの北はカナダと接し北部は1万2000以上の湖が点在し、アウトドアレクリエーションのメッカでもあるが、このI－90は南のア

イオワ州との境に近いところを通る。畑の中にほぼ直線に引かれた道路で３００km程、若干の起伏があるのみでほとんどカーブが無い。ミシシッピ川を渡るとウイスコンシン州に入る。最初のレストエリアに寄ったがインフォメーションセンターはすでに店じまいしていた。宿に関する情報は何もない。しかし西海岸ではあまり見かけなかったモーテルの看板が道路沿いに至る所にあるので、それを参考にすることにした。しばらくプール付きのモーテルに泊まっていないので室内温水プールが有ると書いてある所を探した。州都のマディソンまであと80km程のモーストンという町でプール付きモーテルを見つけたが残念ながら空室は無いという。受付嬢に「この次の町まで走るか」と聞かれたが、「もう走りたくない」と言うと、「この町にもう一つモーテルが有るから聞いてあげる」と言って電話を入れ、予約してくれた。今日はここまで８２０km走ってきた。アラスカンとい

ミズーリ川を渡る。この橋はI-90のすぐ下流にかかる細い橋である。アメリカ西部ともお別れだ

うモーテルで立派なレストランがあるが残念ながらプールはない。妻と息子は向かいのマクドナルドでハンバーガーをテイクアウトして夕食としたが、私は例によってベーコンなどを肴にしてビールとワイン。今日は炭水化物なしで寝よう。

ミズーリ川を渡ってすぐにあるレストエリアで

東側からミズーリ川を望む

ミッチェルのコーンパレス

コーンパレス

コーンパレス。アポロ11号。外壁はすべて色違いのとうもろこしが貼られている

ミッチェルの街

ミッチェルの街の公園でおにぎりの昼食

5月31日(日)第8日　ウィスコンシン州からイリノイ州・シカゴを越えてインディアナ州からオハイオ州へ

モーストンから行けるだけ行こうということで出発する。イリノイ州に入るとI－90はターンパイク（有料道路）になる。細かく区切られた区間で40セントとか75セントとか少しずつ払うシステムになっている。小銭があるときは無人のゲートへ行き、大きく口を開けた集金器にコインを投げ込むとゲートが開く。小銭の無いときは日本と同じように係員に払う。有料とは言っても日本ほどばか高くはない。シカゴに近づくとさすがに交通量はすごい。一昨日までのI－90とは大違いで片側3～4車線のフリーウエーを車間距離もほとんど開けず時速100kmほどで飛ばす。緊張でハンドルを握る手に汗がにじむ。それでもシカゴの町を見ようということでI－90を下りる。シカゴはニューヨーク、ロサンゼルスに次ぐアメリカ第3の都会である。そういえばシアトルを出てから初めての都会だ。地図を見ながら、シカゴの町を走る。シアトルではほとんど聞かれなかった車のクラクションの音がかまびすしい。やっぱり西海岸とは人種（この言葉はこの国では禁句である）が違うようだ。信号待ちでスタートが少しでも遅れると後ろから〝ブーブー〟というのは日本と同じだ。それでも何とか迷わずに目的のリンカーン公園にたどり着いた。ここは五大湖の一つミシガン湖に面しており、各スポーツ施設、文化施設、動物園、植物園などがある。ミシガン湖を見おろす堤防でいつものようにおにぎりの昼食とする。すぐ目の前で若い女性達がビキニ姿で日光浴をしている。我々も半袖ではあるが、この寒いのによくも平気でと思われる気温である。こちらの人達は陽の光があるとすぐに裸になって日光浴を始める。I－90に戻り少し走ると、2013年にワールドトレードセンターにその座を明け渡すまで世界1ののっぽビルで110階、442mのシアーズ・タワー（現在はウィリス・タワー）が見えて来る。程なくしてインディアナ州に入り、270km程走ると次はオハイオ州。何とかクリーブランド近くまでと思ったが疲れもでてきたので、ぽっと目にとまったモーテルに入った。コンフォートインというモーテルのチェーン店で、3人で一泊38ドルであるにもかかわらず、インドア・アウトドアの温水プール付き。息子は大喜び。ここはミランという町で、あのトーマス・エジソンの生誕の地であるとか。たまたま疲れて宿泊した街がエジソンの生まれた町とは、その偶然に驚いた。午後6時になる前に買い出しにと出かけたが、なかなかスーパーマーケットが

イリノイ州に入った

見つからない。ようやく見つけたショッピングモールでスーパーに入ろうとしたら「もう閉店だ」という。「7時までと書いてあるのに、あと1時間あるじゃないか」と言うと、「もう7時を過ぎた」と言う。ここでやっと気付いた。また時刻変更線を過ぎたのだ。インディアナ州の途中でセントラルゾーンからイーストゾーンに入ったのだった。幸い近くにマクドナルドがあり夕食は何とか確保できたがアルコールが無い。1日くらいは我慢するしかないか、とモーテルに帰ると、なんとすぐ近くに小さいながら食料品店がありアルコールも置いてある。だがビール以外のアルコール飲料は日曜日ということで売れないという。この国ではビールはアルコール飲料ではないらしい。ビールだけでいい。夕食後プールでひと泳ぎした後ジャクージーに入り、ジェット水流で体をマッサージ。長旅の疲れも取れる感じがする。ジャクージーに浸かっていると、東海岸にあるメリーランド州から来たという一家が話しかけて

イリノイ州最初のレストエリア

きた。その高校2年生の長男は医者になりたいと言っていた。頑張ってねと励ます。うちの息子はたっぷり泳ぐことができて喜んでいる。明日はナイアガラ。世界的な観光地なので宿の予約をしておいた方が無難ということで、カナダ側の滝に一番近いホテルに予約を入れた。今日の走行距離は850㎞と今までで一番走った1日だった。

シカゴを走る

古い家並みが見える

ミシガン湖畔で日光浴する人

ミシガン湖を望むリンカーン公園でおにぎりの昼食

シアーズタワー

ミランのコンフォートインのインドアプールで泳ぐ壮一

6月1日㈪第9日

オハイオ州ミランからペンシルベニア州をかすめニューヨーク州ナイアガラまで走ってナイアガラ見物。カナダ側で宿泊

今日はナイアガラまで500㎞足らず、宿の予約も取ってあるのでゆっくり出ることにする。朝食後プールでひと泳ぎ。久しぶりにゆっくり新聞に目を通す。オハイオ州からペンシルベニア州に入ると最高速度が毎時55マイル（毎時89㎞）になる。それまでは65マイル（105㎞）であったが、州の決まりだという。日本と同じで10マイルオーバーくらいは許容範囲ということで65マイルを超えないように注意しながら走る。程なくニューヨーク州に入る。バッファローの北でI－290に入り、更にI－190を北上し、ナイアガラ川を渡ってすぐにナイアガラシーニックパークウェイというナイアガラ川に沿った道に乗ると遠くで白煙が立ち上り、轟音が聞こえる。それがナイアガラ滝のあげる水しぶきと落下する水の音であると気付くのにそれほどかからなかった。アメリカ側のレインボーセンターモール前の駐車場に車を停めアメリカ側から見物する。まずプロスペクトポイントタワーに上る。目の前にアメリカ滝、その向こうに馬蹄滝（カナダ滝）が見える。エレベーターで河原に下り、カナダ滝のすぐ下にまで連れて行ってくれる観光船メイドオブザミスト（霧の乙女号）に乗る。滝の落下点付近に来ると凄まじい水しぶきと強風にあおられる。船旅を終え、次にナイアガラ川の中州でその流れをカナダ滝とアメリカ滝に分けているゴー

ト島に渡る。カナダ滝が目の前で落ちて行く様子が見られる。さらにアメリカ滝とブライダルベール滝を分けるルナ島に渡る。ついで車に戻りレインボー橋を渡りカナダに入る。パスポートを見せるだけで簡単に入国を許される。まず今日の宿にしたクオリティインを探す。何しろたくさんホテルがあって探すのが大変だ。ほどなく川から2ブロックほどの近いところにある目的のホテルが見つかった。今日の走行距離は460km。最初に通された部屋に入るとタバコの臭いがひどい。フロントに電話して「禁煙ルームに替えてくれ」と頼むと「すぐボーイが行くから」と言う。今度案内された部屋はスウィートルームであった。「料金は同じでいいのか」と聞くと、「そうだ」と言う。51カナダドルはやっぱり安い。もちろん室内温水プールほかいろいろな施設が完備されている。少し休んでから今度はカナダ側からの滝見物に出かける。この辺はさすがに日本人観光客が多い。あ

プロスペクトポイントタワーからのアメリカ滝と向こうにカナダ滝。遡行する霧の乙女号が見える

ちこちで日本語が聞かれる。大陸横断中日本人を見ることは全く無かったので懐かしい感じだ。さっきはカナダ滝をアメリカ側から見たが、こちらからの方が迫力がある。毎分35万トンと言われる水量は凄まじい。実はこの水量、上流のダムで調節されているという。今日の夕食は近くの中華料理屋から出前を2人前頼む。こちらのレストランで出る料理は何しろ量が多いので2人前でも食べきれない。チップを含めて30弱カナダドル。夕食後散歩がてら見た、ライトアップされた滝もまた美しい。明日はついに目的地ボストンか。

霧の乙女号からのアメリカ滝

霧の乙女号からのカナダ滝

カナダ滝に近づく

カナダ滝近くの船上で。激しい水しぶきを浴びる

ゴート島からのアメリカ滝。向こうに見える塔が先ほど上ったプロスペクトポイントタワー

ゴート島からのカナダ滝

カナダ滝の落口近くのテラピンポイント

ゴート島で見かけたリス

左からアメリカ滝、ブライダルベール滝、カナダ滝

カナダ側からのカナダ滝

カナダ滝に虹がかかる

カナダ滝を少し角度を変えて見る

凄まじい水量のカナダ滝

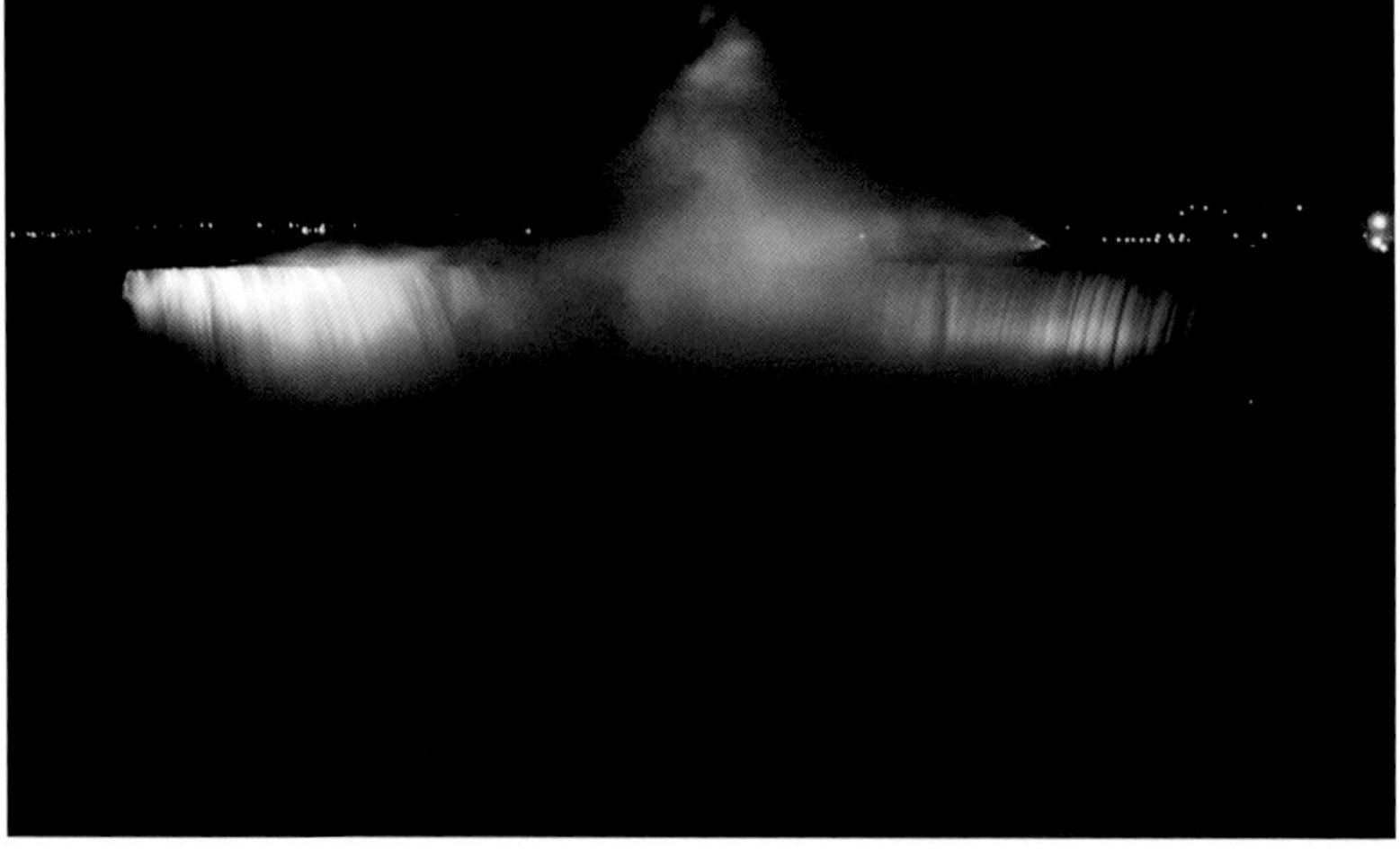

ライトアップされたカナダ滝

6月2日㈫第10日　ナイアガラからニューヨーク州を抜けマサチューセッツ州へ

せっかくナイアガラへ来たのだから空からも眺めたいという妻と息子の希望もあったが、ヘリコプター事故があったらやばいということで、スカイロンタワーで我慢してもらう。高さ160mからの滝の眺めはそれなりに素晴らしい。〝霧の乙女号〟がひっきりなしに観光客をカナダ滝の下へ案内している。更に今度は滝の下へ下りようということでテーブルロックハウスに下りる。エレベーターで下りたところで黄色い使い捨てのレインコートを渡され、トンネルを出ると滝の落ちるすぐ脇に出る。水しぶきと轟音がすごい。さらにトンネルを少し進むとまさに滝の落ちる所を内側から見ることができる。ジャーニービハインドザフォールである。滝の何から何までを観光の道具にしているようだ。エレベーターを上って出るとそこはおみやげ売り場になっている。なかなか商売上手だ。売店のおばさんがさっきのレインコートをたたんでくれておみやげにどうぞと言って渡してくれる。お昼過ぎにナイアガラを出発し、バッファローでまたI－90に乗る。今日はもうこの時間では、どんなに走ってもボストンまでは無理だろう。途中でもう一泊必要だ。サウスダコタを走っている頃から、車の後部ウインドウに“from Seattle to Boston”というステッカーを貼って走っていたのだが、ニューヨーク州の田舎のにいちゃんが追い越し際に握り拳で親指を上に向ける“thumb up”のサインをくれる。今時ならFacebookの〝いいね〟だ。今日はマサチューセッツ州に入って少し行ったリーという田舎町に泊まる。プールサイドで日光浴をしている人達もいるがとても裸になれる気温ではない。息子とナイアガラで買ったブーメランで遊ぶ。こんな田舎町でも中華料理のレストランがある。レストランといえば、アメリカのどんな田舎町でも人口1000人以上であれば、ほとんど中華のレストランがある。人口1万人を超えると大体日本食のレストランがある。中華をテイクアウトしてモーテルで食べる。今日の走行距離は570km、半日でもこのくらいは走れる。

スカイロンタワーからのカナダ滝。霧の乙女号が方向転換をしている

スカイロンタワーからのアメリカ滝とブライダルベール滝。右端に見えるのが昨日渡ったアメリカ滝とカナダ滝を分けるゴート島。そのほかいくつかの島が見える

スカイロンタワーの上で

スカイロンタワーからナイアガラフォールズの街を見下ろす。アメリカとカナダを結ぶレインボー橋と遠くにオンタリオ湖が見える

ナイアガラ川で滝を２分するように残されたゴート島

カナダ滝の前に立つ王立カナダ騎馬警察

馬のお尻に施されたカナダのシンボル、カナディアンメープルの葉の模様

テーブルロックハウスからのカナダ滝と由布と壮一

テーブルロックハウスからのカナダ滝

水しぶきで霞んで見える

テーブルロックハウスから下流を見る。アメリカ滝と霧の乙女号。遠くにレインボーブリッジ。カナダ側も水の流れはないが崖になっている

満杯の客を乗せた霧の乙女号

カナダ滝の迫力

滝を内側から覗く。ジャーニービハインドザフォール

6月3日㈬第11日　いよいよボストン到着

さあ今日こそ目的地ボストンだ。大陸横断の旅も残すはあと200㎞。I−90はずっとターンパイクであるが、その料金はここまで来ても全部で十数ドルというところだろう。森林地帯を抜けると車の量が増えてくる。いよいよボストンが近い。午前中にはボストンのダウンタウンへの出口を出た。シアトルとは違ってアメリカ建国の古い町であり、道が狭く、変に曲がりくねって走りにくいことこの上ない。まず目についたボストン大学のブックストアーに寄り、ボストンの地図と案内書を買う。住宅街の中にある小さな公園でおにぎりの昼食をとりながらまずボストンの地理を頭に入れることから始める。ボストンに着いたという安心感より、これからアパート探しやら何やら、この決して治安の良くないボストン（今はかなり改善されたようだが当時はかなり悪かった。カメラを首から提げて電車に乗った話をボスにしたら、よく無事でいられたねと言われた）で暮らしていかねばならないという不安の方が大きかった。妻も不安と緊張をこらえているということが口には出さないがうかがわれる。息子の冗談にも笑えない。とりあえずどこか今日の宿を決めよう。こうして、10泊11日のアメリカ大陸横断の旅は終わった。

ボストンの中心部にある旧マサチューセッツ州会議事堂

Boston Tea Partyはボストン茶会事件と訳されている。アメリカ独立運動の先駆的事件のあった船

エピローグ

何とか事故もなく、ほぼ予定通り（といっても予定などは端からなかったが）、また我が愛車シボレー・サイテーションもストライキも起こさず６２００㎞を走ってくれた。エアコンも快適に効いていた。この11日間のアメリカ大陸横断ドライブに費やした費用が宿泊代、食費、おみやげ代などいっさいがっさい入れても１０００ドル（13万円くらい、１９９2年当時は1ドル１３０円ほどであった）もかからなかったといったら、皆さんは信じてくれるだろうか。日本で家族三人、ホテルに泊まるとウン万円。日本ではとてもこんな旅はできない。家族三人夫婦喧嘩や親子喧嘩もほとんど毎日だったが、一致協力してこの旅を完遂できたことは我々のこれからの人生にとってかけがえのない経験となった。アメリカの大自然と人々は私たちに本当に優しかった。息子もなにかしら顔つきが変わったと感じるのは親の欲目だろうか。

余談ではあるが、実はボストンで最初に宿泊したモーテルで大事件に見舞われた。大陸横断中に撮りためた20本ほどのロールフィルムのパトローネは、きちんとフィルムケースに入れ、ビニールの袋に入れてテーブルの上に置いておいたのだが、出かけている間にハウスキーピングが入り、テーブルの上の物まで全てなくなっていた。急いでフロントへ行くと「ゴミ置き場にあるんじゃない？」などと呑気なことを言う。慌ててモーテル駐車場脇のガベージボックスに行くと、６畳一間の部屋くらいの大きさの箱の中に、なんと袋に入ったままのロールフィルムがあるではないか。どれほどほっとしたか。あのまま捨てられていたら、この本はできなかった。

山際　岩雄（やまぎわ　いわお）

1949年　新潟市に生まれる
1975年　新潟大学医学部卒業。新潟大学医学部第１外科入局
1987年　山形大学医学部第２外科講師。小児外科のチーフとして山形県内の小児外科疾患の治療を一手に引き受ける
1991～1992年　米国シアトル、ボストン、英国ロンドンの小児病院で研修
1993年　山形大学医学部第２外科助教授
2007年　新潟青陵大学教授

親子三人のアメリカ大陸横断ドライブ
シアトルからボストンへ

2021年３月28日　初版第１刷発行

著　　者　山際岩雄
発 行 者　中田典昭
発 行 所　東京図書出版
発行発売　株式会社 リフレ出版
〒113-0021　東京都文京区本駒込 3-10-4
電話 (03)3823-9171　FAX 0120-41-8080
印　　刷　株式会社 ブレイン

© Iwao Yamagiwa
ISBN978-4-86641-417-1 C0095
Printed in Japan 2021
本書のコピー、スキャン、デジタル化等の無断複製は著作権法上での例外を除き禁じられています。本書を代行業者等の第三者に依頼してスキャンやデジタル化することは、たとえ個人や家庭内での利用であっても著作権法上認められておりません。

落丁・乱丁はお取替えいたします。
ご意見、ご感想をお寄せ下さい。